きほんのソーイングで
本格(ほんかく)
推(お)しぬい

寺西 恵里子／作
Eriko Teranishi

汐文社

もくじ

- はじめに　**P.4**
- ぬってつくるマスコット・推しぬいのつくり方の基本ステップ　**P.5**
- ぬい始め・ぬい終わり　**P.6**
- きれいにぬうコツ　**P.6**
- 刺しゅう糸・針　**P.6**
- ぬい方の基礎　**P.7**

ぬってつくるマスコット　**P.8**

ぬってつくるマスコット バリエーション　**P.14**

実物大の型紙　**P.15**

ぬってつくる 本格推しぬい　P.16

実物大の型紙　P.22　P.38

ぬってつくる 本格推しぬい
春夏の洋服　P.24

実物大の型紙　P.26　P.28

ぬってつくる 本格推しぬい
秋冬の洋服　P.30

実物大の型紙　P.32　P.34　P.36

推しぬいとお出かけしよう！　P.23

推しぬいといえば写真！　P.23

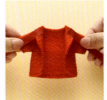

はじめに

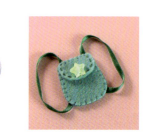

好きな推しで、推しぬいをつくってみたいけど
針を持ったことがない……
そんな人のためにつくりました。

はじめてでも大丈夫！
推しぬいをつくってみませんか？

ぬい方の基礎から
きれいにぬうコツまで、
じっくりていねいに解説していきます。
順を追ってつくっていくだけで
推しぬいがつくれます。

フェルトが切れたら、
切れたものをながめ……
少しぬえたら、ぬえたところをながめ……
できてくるのを1つ1つ楽しみましょう！
つくる時間を楽しむのも
推しとの時間です。

そして、自分だけの推しぬいができたら
お部屋に飾って！
持ち歩いて！
写真を撮ってもいいですね。
自分だけの推しぬいとの時間……
楽しみましょう！

小さな人形に
大きな願いをこめて……

寺西 恵里子

ぬってつくるマスコット・推しぬいのつくり方の基本ステップ

ステップ 1 材料と用具を用意します。

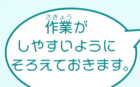
作業がしやすいようにそろえておきます。

材料

用具

ステップ 2 形に切ります。

どんな材料でもこの切り方できれいに切れます。

ステップ 3 髪の毛と顔、ボディのまわりをぬいます。

細かくなりすぎないように気をつけて。

ステップ 4 顔とボディに綿を入れぬいつけ、髪の毛をかぶせます。

人形ができました！

ステップ 5 服をつくりきせて、できあがり！

服は好きなようにつくりましょう！

ぬい始め・ぬい終わり

玉結び

ぬい始めの糸が抜けないように、玉をつくります。

1
写真のように糸を持ちます。

2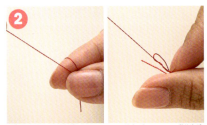
糸を人さし指にくるっと一巻きし、親指でしっかり押さえて、糸をよじります。

3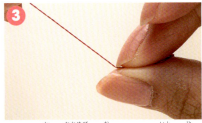
できた輪を中指で押さえて、糸を引きます。

4
結び目を引っぱって硬くします。余った糸先をはさみで切ります。

玉どめ

ぬい終わりも糸が抜けないように、玉をつくります。

1
糸の出ている横に針をあてます。

2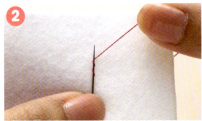
針に糸を2回巻きつけます。

3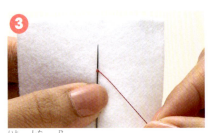
糸を下に引きます。

4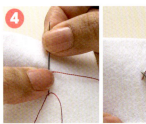
親指で押さえて針を引き、余った糸先をはさみで切ります。

きれいにぬうコツ

ぬう向き

ぬい方によって、ぬい進む方向があります。針の向きは変えずに、布を回しながらぬうとぬいやすく、ぬい目も整います。

刺しゅう糸

刺しゅう糸は細い糸6本で1本になっています。この本でしめす刺しゅう糸の数はこの細い糸の本数です。
この本では、ランニングステッチは刺しゅう糸2本、他は1本でぬいます。

針

[ぬい針]
[刺しゅう針]

ぬい針と刺しゅう針では、糸を通す穴の大きさが違います。
この本では、ランニングステッチのときは刺しゅう針を、他はぬい針をつかいます。

ぬい方の基礎 ※ぬい方がわかりやすいようにここでは、2本どりにしています。

ブランケットステッチ

1 布はしから糸を出し、糸を右側に流します。

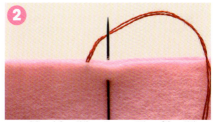

2 ❶の斜め下に針を入れ、糸の上に針を出します。

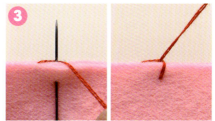

3 糸を手前に引きよせ、針を抜き、糸を引きます。一針目ができました。

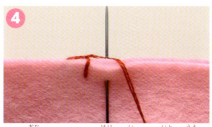

4 ❷と同じように、針を入れ、糸の上に針を出します。これをくり返します。

ランニングステッチ

1 裏から糸を出し、となりに針を入れます。

2 2～3mmのところに針を出し、3～4mmのところに針を入れます。

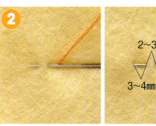

3 ❷をくり返します。

4 針を抜きます。これをくり返します。

布が平らになるように、ぬい始めを押さえ、爪でぬった方向に糸こきします。

たてまつり

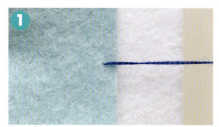

1 布(白)にアップリケ用の布(水色)をのせ、裏から針を出します。

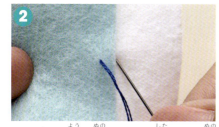

2 アップリケ用の布のきわの下にある布に針を入れます。(糸はアップリケ用の布はしに対し直角になるように)

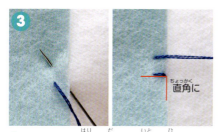

3 ❶のとなりに針を出し、糸を引きます。一針目ができました。

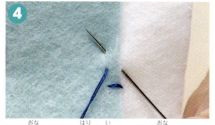

4 ❷と同じように針を入れ、❸と同じように出し、糸を引きます。これをくり返します。

ぬってつくる マスコット

針と糸をつかって、フェルトのマスコットをつくりましょう！
ブランケットステッチでぬえば、かんたんできれいにできます。

キョロキョロくまさん
耳をアクセントに
色を選びましょう。

さあ、つくりましょう！

❤ 材料と用具をそろえましょう。

材料
ゼッケン布
フェルト 赤/茶：適量
刺しゅう糸 赤/茶：適量
手芸用綿：適量

用具
● 切るもの：はさみ
● はるもの：手芸用ボンド、セロハンテープ（木工用ボンドでもOK！）
● ぬうもの：手ぬい針
● かくもの：鉛筆、油性ペン
● 使うときれいにできるもの：竹串、割り箸

❤ 型紙を用意しましょう。

コピー

コピーをして、使いやすい大きさに切ります。

写す

型紙の上に紙を置き、鉛筆でなぞります。

実物大の型紙

[耳] フェルト 前後ろ 各1枚

[ボディ] フェルト 前後ろ 各1枚

1 型紙を使って、フェルトを切ります。

❶
型紙のまわりを大まかに切ります。

❷
フェルトにセロハンテープで型紙をはります。

❸
はさみで大まかに切った後、型紙の線の上をセロハンテープごと切ります。

❹
切れました。

❺
切れた型紙は、フェルトにはってくり返し使います。

❻
耳とボディが切れました。

2 耳をブランケットステッチでぬい合わせます。

❶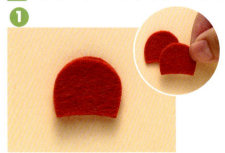
左耳を2枚重ねます。

❷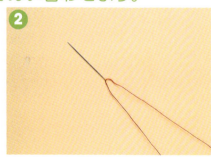
手ぬい針に赤の刺しゅう糸1本を通します。

❸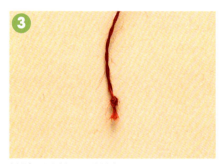
片方の糸先に、玉結びをします。

❹
フェルトとフェルトの間に針を入れ、左の図の★から針を出します。

[ぬい始め] [ぬい終わり]

❺
糸を引きます。

ブランケットステッチでぬいます。
（P.7参照）

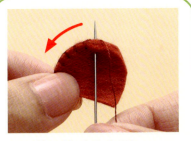
ぬいやすいように、
フェルトを回しながら
ぬいましょう！

端までぬいます。

目立たないところで玉どめをします。

糸を切り、左耳がぬえました。

同じように、右耳もぬいます。

3 耳とボディを組み合わせます。

耳の下にボンドをつけます。
（斜線部分）

下の図を参考に、ボディにはります。
同じように反対の耳もはりましょう。

もう1枚のボディを重ねます。

重ねました。

ぬうときにずれないよう、
洗たくばさみで
とめるといいですね！

実物大の組み合わせ図

11

4 まわりをブランケットステッチでぬいます。

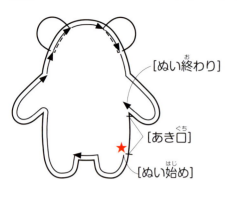

手ぬい針に茶の刺しゅう糸1本を通し、片方の糸先に玉結びをします。

フェルトとフェルトの間に針を入れ、左の図の★から針を出します。

ブランケットステッチでぬいます。股までぬえました。

角をきれいにぬうコツ!
左または右の角のようにぬいます。

右手までぬえました。

右耳の手前までぬえました。

右耳もブランケットステッチでぬいます。

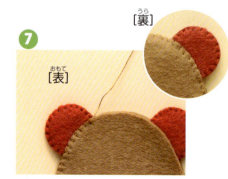

右耳がぬえました。

頭と左耳もぬえました。

脇の下までぬえました。

針から糸を抜きます。

5 綿を入れ、あき口をとじます。

① 綿を小さくちぎります。

② 割り箸を使い、遠い方から順に少しずつ綿を入れます。

③ 厚みが1～1.5cmくらいになるように、綿を詰めました。

④ くまから出ている糸を針に通し、あき口をブランケットステッチでぬいます。

⑤ ぬえました。玉どめをします。

⑥ もんで、綿を整えます。

6 顔をはります。

① ゼッケン布を型紙にセロハンテープではり、油性ペンで顔をかきます。

② パーツを切ります。

③ 顔の上にパーツを並べます。

④ パーツの裏に、ボンドを竹串を使ってぬり広げます。

⑤ 顔にはります。

ぬってつくる マスコット
バリエーション

耳の形や、表情を変えてつくってみよう！

うさぎ

ねこ

ほっぺは色鉛筆でぬって、かわいくしましょう！

ぬってつくる 本格推しぬい

かんたんなぬい方でつくれる、本格的な推しぬいをつくりましょう！
フェルトや刺しゅう糸も、「推し」に合う色を選んでみよう！

きせかえ推しぬい
服をたくさんつくって遊びましょう！

さあ、つくりましょう！

♥ 材料と用具をそろえましょう。

材料

ゼッケン布
フェルト　青/うすだいだい/水色/黄色：適量
プリント布：適量
刺しゅう糸　青/うすだいだい/水色/黄色/紺/うす青：適量
手芸用綿：適量

用具

木工用ボンドでもOK！

- ● 切るもの　はさみ
- ● はるもの　手芸用ボンド　セロハンテープ
- ● かくもの　鉛筆　油性ペン
- ● ぬうもの　手ぬい針　刺しゅう針
- ● 使うときれいにできるもの　竹串　割り箸

実物大の型紙

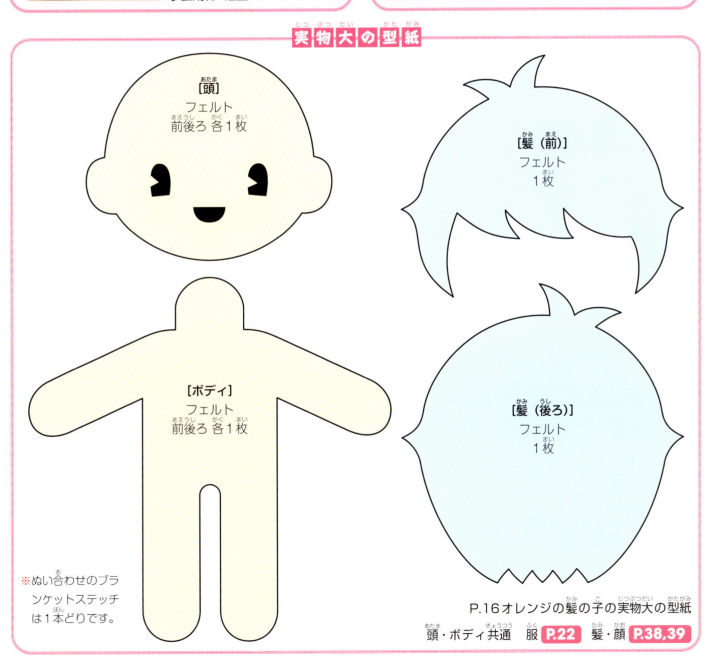

[頭] フェルト 前後ろ 各1枚

[髪（前）] フェルト 1枚

[ボディ] フェルト 前後ろ 各1枚

[髪（後ろ）] フェルト 1枚

※ぬい合わせのブランケットステッチは1本どりです。

P.16オレンジの髪の子の実物大の型紙
頭・ボディ共通　服 P.22　髪・顔 P.38,39

1 型紙を使ってフェルトを切ります。

型紙をつくります。(P.9参照)

型紙の通りに、パーツを切ります。
(P.10の1参照)

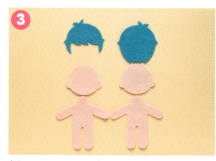
全てのパーツが切れました。

2 ブランケットステッチで、ぬいます。

髪を重ねます。

写真の通り、上半分をブランケットステッチでぬいます。(P.7参照)

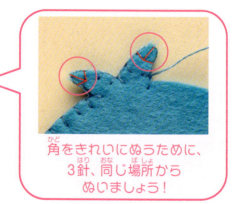
角をきれいにぬうために、3針、同じ場所からぬいましょう！

顔を2枚重ね、あき口を残してブランケットステッチでぬいます。

糸は切らずに残し、針を外しておきましょう！

ボディも2枚重ね、あき口を残してブランケットステッチでぬいます。

3 綿を入れます。

綿を小さくちぎり、割り箸を使い遠い方から順に少しずつ綿を入れます。

厚みが1〜1.5cmくらいになるように、綿を詰めます。

同じように顔に綿を詰めます。

4 組み合わせます。

① 首のところに、ボンドをつけます。

② 頭に差し込み、はりつけます。

③ 針に頭から出ている糸を通し、あき口をブランケットステッチでぬいます。

④ ぬえました。

⑤ 頭にボンドをつけます。

⑥ 裏にもボンドをつけます。

⑦ 髪の毛のフェルトの間に、頭を入れます。

⑧ 位置を確認して、はります。

⑨ 髪の毛がはれました。

5 顔をはります。

型紙の通りに、顔のパーツをゼッケン布にかいて切り、顔にはります。（P.13の⑥参照）

6 Tシャツをつくります。

1

型紙の通りに、Tシャツを切ります。
（P.10の1参照）

2
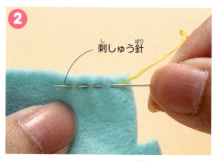
ランニングステッチ（2本どり）で刺しゅうします。（P.7参照）

刺しゅう針

3

刺しゅうができました。

4
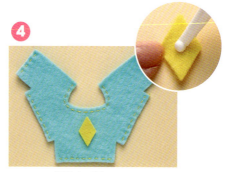
ダイヤの中心に少しボンドをつけ、Tシャツにはります。

5
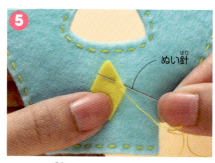
ダイヤの周りをたてまつりでぬいます。（P.7参照）

ぬい針

6

ぬえました。

7

6の★の線とTシャツの下の線を合わせてたたみ、折り目をつけます。

8

脇をブランケットステッチでぬいます。

9

同じように、反対側もブランケットステッチでぬいます。

布で洋服をつくるときは接着芯をはりましょう！

必ず大人の人とやってね！

布を切ってもほつれないように、接着芯をアイロンではります。

① 接着芯を必要な大きさに切ります。
② 布の裏に、接着芯の接着面を下にして置きます。
③ 中温のアイロンで、押さえます。

7 ハーフパンツをつくります。

1

布の裏に接着芯をはり、型紙の通りにハーフパンツを切ります。（P.10の**1**参照）

2

ランニングステッチ（2本どり）で刺しゅうをします。（P.7参照）

3

裏返し、左右を真ん中に折り合わせ、折り目をつけます。

4

折り目に沿って折り、股をブランケットステッチでぬいます。

股は細かくぬいましょう！

実物大の型紙

[Tシャツ] フェルト 1枚

ランニングステッチ（2本どり）

たてまつり（1本どり）

[ダイヤ] フェルト 1枚

[ハーフパンツ] 布（プリント地）1枚

ランニングステッチ（2本どり）

※ぬい合わせのブランケットステッチは1本どりです。

実物大の型紙

[ハート]
フェルト1枚

たてまつり
（1本どり）

ランニング
ステッチ
（2本どり）

[ワンピース]
布（プリント地）
1枚

※ぬい合わせのブランケットステッチは1本どりです。

ワンピースをつくりましょう！

❶ 布の裏に接着芯をはり、型紙の通りに切ります。（P.20、P.10の❶参照）

❷ フェルトを型紙の通りに切ります。（P.10の❶参照）

❸ ランニングステッチで刺しゅうします。（P.7参照）

❹ ハートのまわりをたてまつりでぬいます。（P.20の❻❹～❻参照）

❺ 折り目をつけ、脇をブランケットステッチでぬいます。

❻ フリルを5㎝に切ります（2本）。袖の内側にはります。

推しぬいとお出かけしよう！

お気に入りの洋服をきせたぬいを、バッグに入れていろんなところに連れて行ってあげましょう！

推しぬいといえば写真！

気になるスポットを見つけたら、ぬいと写真を撮ろう！
かわいい、かっこいいものを見つけたら、ぜひいっしょに撮ってね！

ぬってつくる 本格推しぬい
春夏の洋服

ぬいの洋服も涼しげに！
小物もつくってきせかえを楽しみましょう！

ぼうしはかぶれて、
バッグはものが入る本格派！

リボンやフリルをつかえば、
かんたんにサロペットや
パンツスカートをつくれます。

実物大の型紙

頭・ボディ P.17　髪・顔 P.38,39　服 P.21,22,26,28

実物大の型紙

[ぼうし] フェルト 前後ろ 各1枚
ランニングステッチ（2本どり）

[ショルダーバッグ]
（ふた）フェルト1枚
ランニングステッチ（2本どり）

（本体）フェルト1枚

[ポケット] 布（デニム地）1枚
ランニングステッチ（2本どり）

[サロペット] 布（デニム地）1枚

※ぬい合わせのブランケットステッチは1本どりです。

1 ぼうしをつくります。

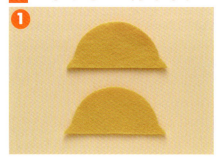

❶ 型紙の通りに、ぼうしを切ります。（P.10の1参照）

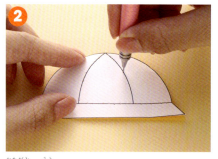

❷ 型紙の上に、シャープペンでぼうしのもようを点で印をつけます。

❸ 印がつきました。

❹ 印のところをランニングステッチで刺しゅうします。（P.7参照）

❺ 同じようにもう1枚にも印をつけて刺しゅうします。

❻ 表面が外側にくるように2枚重ねて、ブランケットステッチをします。

2 ショルダーバッグをつくります。
※肩にかけるときは、ぬいの足側から通します。

❶ 型紙の通りに、パーツを切ります。
（P.10の❶参照）

❷ ふたをランニングステッチで刺しゅうします。（P.7参照）

❸ 本体を2㎝折り上げ、脇をブランケットステッチでぬいます。

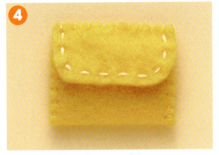
❹ ❷を❸の上に合わせて重ね、ブランケットステッチでぬいます。

❺ 幅0.4㎝のリボンを10.5㎝に切ります。両端にボンドをつけ、裏にはります。

❻ ボタンにプラスチック用ボンドをつけ、表にはります。

3 サロペットをつくります。

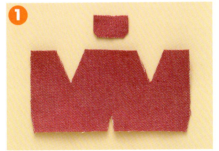
❶ 接着芯をはったデニム地を、型紙の通りにパーツを切ります。
（P.20、P.10の❶参照）

❷ ランニングステッチで刺しゅうします。（P.7参照）

❸ ポケットを写真のように、ランニングステッチで刺しゅうし、ぬいつけます。

❹ 左右を真ん中に折り合わせ、股をブランケットステッチでぬいます。

❺ 幅0.6㎝のリボンを4㎝に切ります（2本）。両端にボンドをつけ、内側にはります。

❻ 写真のように、ボタンをプラスチック用ボンドではります。

1 パンツスカートをつくります。

❶ フリルを9cmに切ります。型紙の通りに、ハーフパンツ（P.21）を切ります。（P.10の❶参照）

❷ ハーフパンツにフリルを0.5cmずらして、洗たくばさみでとめます。

❸ ハーフパンツにフリルをランニングステッチで刺しゅうし、ぬいつけます。（P.7参照）

❹ ぬえました。

❺ 左右を真ん中に折り合わせ、股をブランケットステッチでぬいます。

> 洗たくばさみを外したり、ずらしたりしながらぬいましょう。

2 フレンチスリーブをつくります。

①
接着芯をはったプリント布を、型紙の通りにパーツを切ります。
(P.20、P.10の**1**参照)

②
ランニングステッチで刺しゅうします。
(P.7参照)

③
左右を折り下げて、脇をブランケットステッチでぬいます。

3 バッグをつくります。

①
型紙の通りにバッグを切ります。
(P.10の**1**参照)

②
ランニングステッチで刺しゅうします。
(P.7参照)

③
表面が外側にくるように2枚重ねて、ブランケットステッチをします。

④
幅0.4cmのリボンを4.5cmに切ります（2本）。リボンの端にボンドをつけ、内側にはります。

⑤
ビーズにプラスチック用ボンドをつけます。

⑥
バッグにはります。

4 ベレー帽をつくります。

①
型紙の通りにベレー帽を切ります。
(P.10の**1**参照)

②
ランニングステッチで刺しゅうします。
(P.7参照)

③
表面が外側にくるように2枚重ねて、ブランケットステッチをします。

ぬってつくる本格推しぬい
秋冬の洋服

フェルトでつくった暖かい洋服をきせましょう！
重ね着をさせて遊びましょう！

デザイナーになったつもりで、
洋服の刺しゅうの色にも
こだわってつくりましょう！

ビーズやボタン、リボンなどで、
ワンランクアップに飾りましょう！

実物大の型紙

頭・ボディ **P.17**　髪・顔 **P.38,39**　服 **P.32,34,36**

実物大の型紙

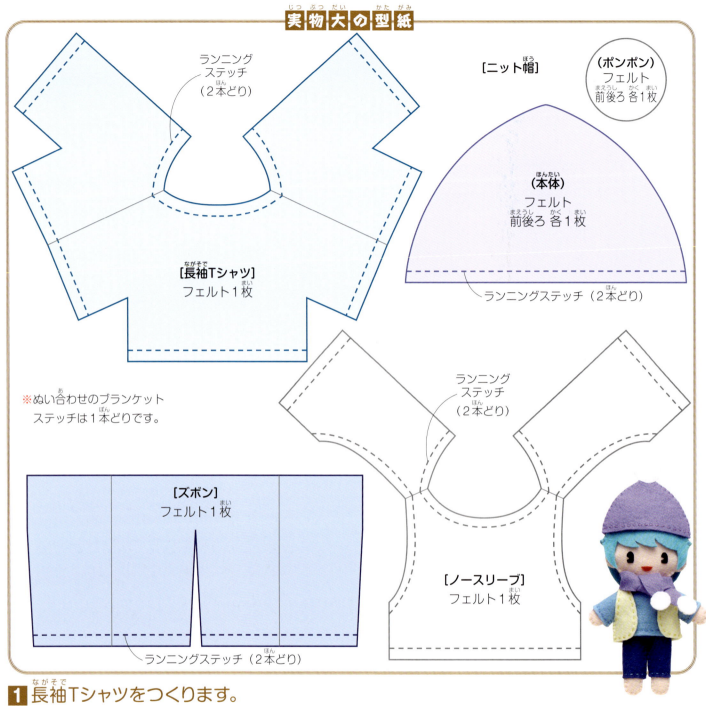

[ニット帽]
（ポンポン）
フェルト 前後ろ 各1枚

（本体）
フェルト 前後ろ 各1枚

ランニングステッチ（2本どり）

ランニングステッチ（2本どり）

[長袖Tシャツ]
フェルト1枚

※ぬい合わせのブランケットステッチは1本どりです。

[ズボン]
フェルト1枚

ランニングステッチ（2本どり）

[ノースリーブ]
フェルト1枚

ランニングステッチ（2本どり）

1 長袖Tシャツをつくります。

❶ 型紙の通りに、長袖Tシャツを切ります。（P.10の 1 参照）

❷ ランニングステッチで刺しゅうします。（P.7参照）

❸ 左右を折り下げて、脇をブランケットステッチでぬいます。

2 ノースリーブをつくります。

※ P.31赤い髪の子がジャケットの下にきています。

❶

型紙の通りに、ノースリーブを切ります。(P.10の❶参照)

❷

ランニングステッチで刺しゅうします。(P.7参照)

❸

左右を折り下げて、脇をブランケットステッチでぬいます。

3 ズボンをつくります。

❶
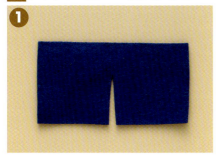
型紙の通りに、ズボンを切ります。(P.10の❶参照)

❷

ランニングステッチで刺しゅうします。(P.7参照)

❸

左右を真ん中に折り合わせ、股をブランケットステッチでぬいます。
※股は細かくぬいましょう。

4 ニット帽をつくります。

❶

型紙の通りに、パーツを切ります。(P.10の❶参照)

❷
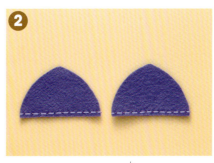
ランニングステッチで刺しゅうします。(P.7参照)

❸

表面が外側にくるように2枚重ねて、ブランケットステッチをします。

❹

ポンポンにボンドを少しつけ、ぼうしをはさみ、はり合わせます。

ぬうときにずれないよう、ボンドで仮どめをします。ボンドをつけすぎないように気をつけましょう！

❺

ポンポンをブランケットステッチでぬいます。

実物大の型紙

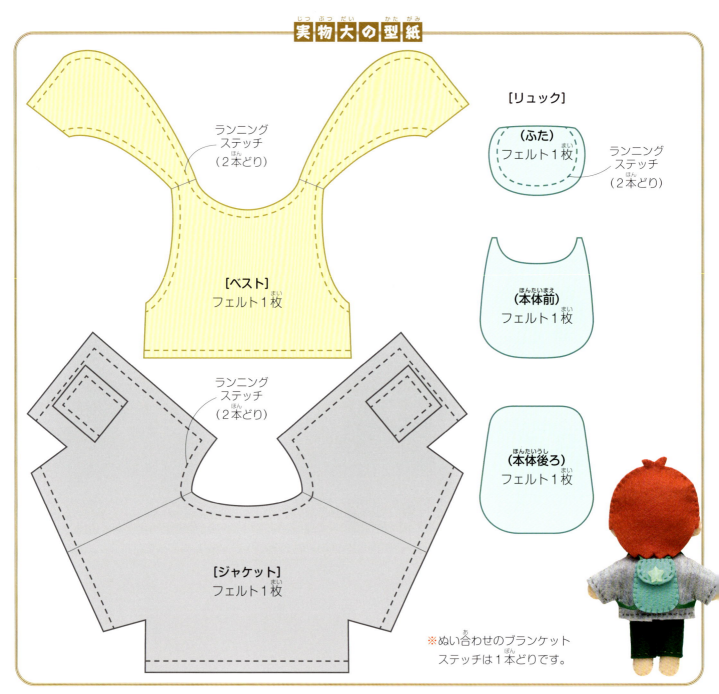

[リュック]

(ふた) フェルト1枚
ランニングステッチ(2本どり)

(本体前) フェルト1枚

(本体後ろ) フェルト1枚

ランニングステッチ(2本どり)

[ベスト] フェルト1枚

[ジャケット] フェルト1枚

ランニングステッチ(2本どり)

※ぬい合わせのブランケットステッチは1本どりです。

1 ベストをつくります。

❶ 型紙の通りに、ベストを切ります。(P.10の1参照)

❷ ランニングステッチで刺しゅうします。(P.7参照)

❸ 左右を折り下げて、脇をブランケットステッチでぬいます。

2 ジャケットをつくります。

❶

型紙の通りに、パーツを切ります。
（P.10の 1 参照）

❷

ランニングステッチで刺しゅうします。
（P.7参照）

❸

ポケットを写真のように、ランニングステッチでぬいつけます。

❹

左右を折り下げて、脇をブランケットステッチでぬいます。

❺

ボタンにプラスチック用ボンドをつけ、表にはります。

> ボタンをカラフルにするといいですね！

3 リュックをつくります。

❶

型紙の通りに、パーツを切ります。
（P.10の 1 参照）

❷
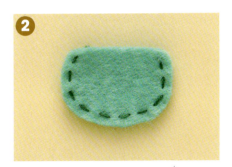
ふたをランニングステッチで刺しゅうします。（P.7参照）

❸

本体を重ねて、ブランケットステッチでぬいます。

❹

ふたを重ねて、ブランケットステッチでぬいます。

❺

幅0.4cmのリボンを9cmに切ります（2本）。両端にボンドをつけ、裏にはります。

❻

ビーズにプラスチック用ボンドをつけ、表にはります。

実物大の型紙

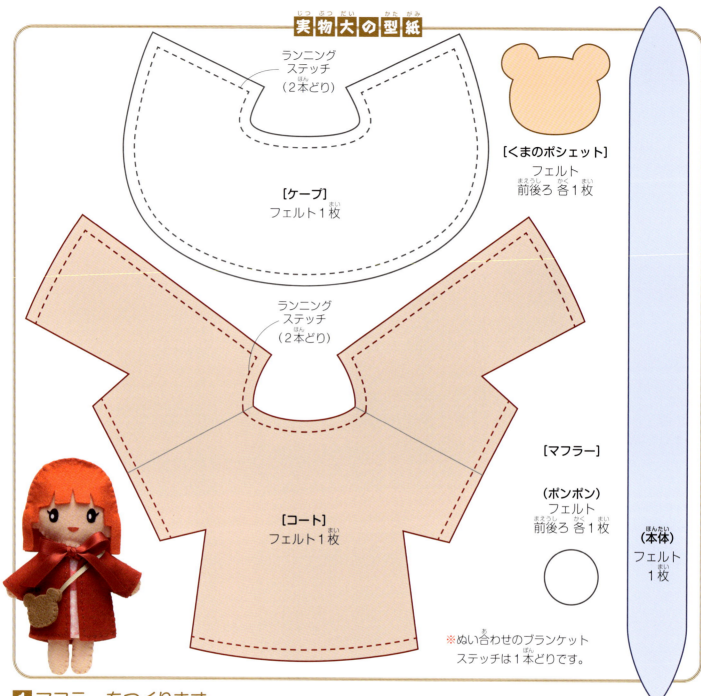

[ケープ] フェルト1枚

[くまのポシェット] フェルト 前後ろ 各1枚

[コート] フェルト1枚

[マフラー]
（ポンポン）フェルト 前後ろ 各1枚

(本体) フェルト1枚

※ぬい合わせのブランケットステッチは1本どりです。

ランニングステッチ（2本どり）

1 マフラーをつくります。

❶ 型紙の通りに、パーツを切ります。（P.10の 1 参照）

❷ ポンポンにボンドを少しつけ、両はしをはさみ、はり合わせます。

❸ ポンポンをブランケットステッチでぬいます。（P.7参照）

2 くまのポシェットをつくります。 ※肩にかけるときは、ぬいの足側から通します。

① 型紙の通りに、パーツを切ります。（P.10の❶参照）

② 2枚重ねて、ブランケットステッチをします。（P.7参照）

③ 幅0.4cmのリボンを12cmに切ります。両端にボンドをつけ、裏にはります。

3 コートをつくります。

① 型紙の通りに、コートを切ります。（P.10の❶参照）

② ランニングステッチで刺しゅうします。（P.7参照）

③ 左右を折り下げて、脇をブランケットステッチでぬいます。

④ 幅0.4cmのリボンを15cmに切ります（2本）。両端にボンドをつけ、内側にはります。

リボンを結んで、整えよう！
好きな長さに切ったり、左右を切りそろえたりしましょう。

4 ケープをつくります。

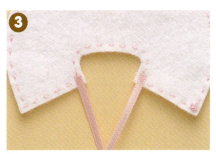

① 型紙の通りに、ケープを切ります。（P.10の❶参照）

② ランニングステッチで刺しゅうします。（P.7参照）

③ 幅0.4cmのリボンを13cmに切ります（2本）。両端にボンドをつけ、内側にはります。

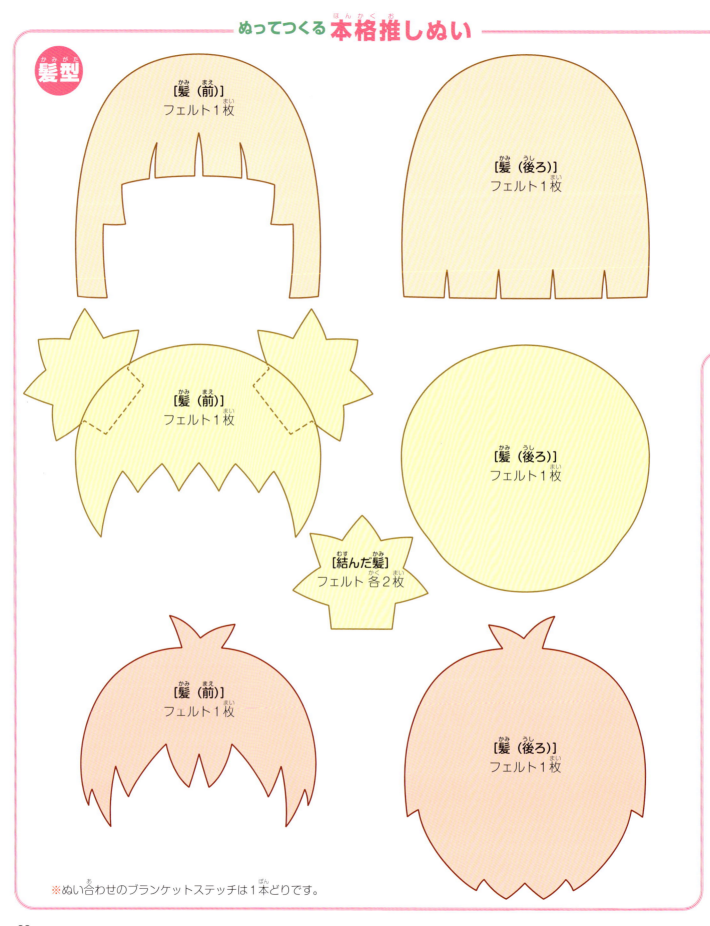

実物大の型紙

顔

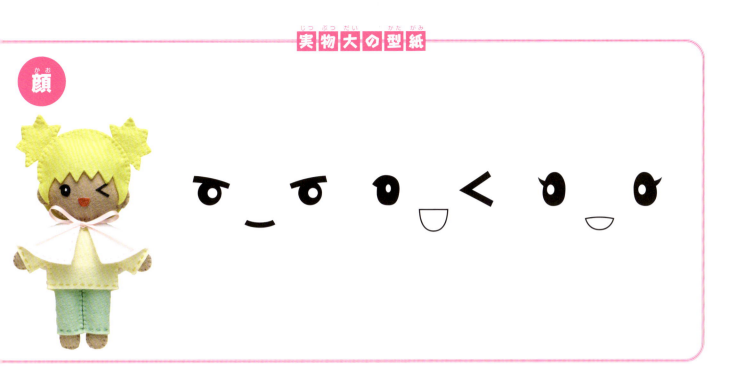

きせかえの服や小物がたくさんあると、楽しいですね！

作 寺西 恵里子（てらにし えりこ）

(株)サンリオに勤務し、子ども向け商品の企画・デザインを担当。退社後も "HAPPINESS FOR KIDS" をテーマに、手芸、料理、工作、子ども服、雑貨、おもちゃ等の、商品としての企画・デザインを手がけると同時に、手作りとして誰もが作れるように伝えることを創作活動として本で発表する。実用書・女性誌・子ども雑誌・テレビと多方面に活躍中。

『ひとりでできる アイデアいっぱい 貯金箱工作(全３巻)』(汐文社)
『身近なもので作る ハンドメイドレク』(朝日新聞出版)
『基本がいちばんよくわかる 刺しゅうのれんしゅう帳』(主婦の友社)
『０～５歳児 発表会コスチューム155』(ひかりのくに)
『かぎ針で編む キュートななりきり帽子＆小物』(日東書院本社)
『もっと遊ぼう！ フェルトおままごと』(ブティック社)
『30分でできる！ かわいいうで編み＆ゆび編み』(PHP研究所)
『３歳からのお手伝い』(河出書房新社)
『作りたい 使いたい エコクラフトのかごと小物』(西東社)
『365日 子どもが夢中になるあそび』(祥伝社)
他、著書は700冊を超える。

撮影 　成清 徹也　渡邊 峻生
デザイン 　NEXUS DESIGN
カバーデザイン 　池田 香奈子
イラスト 　高木 あつこ
作品制作 　千枝 亜紀子　池田 直子　岩瀬 映瑠　やべ りえ
作り方まとめ 　岩瀬 映瑠
校閲 　大島 ちとせ

きほんのソーイングで
本格推しぬい

発行日 　2024年11月　初版第１刷発行

作 　寺西 恵里子
発行者 　三谷 光
発行所 　株式会社　汐文社
　　　〒102-0071東京都千代田区富士見1-6-1
　　　　　富士見ビル１F
　　　TEL 03-6862-5200　FAX 03-6862-5202
　　　http://www.choubunsha.com/
印刷 　新星社西川印刷株式会社
製本 　東京美術紙工協業組合

乱丁・落丁本はお取替えいたします。
ご意見・ご感想は　read@choubunsha.comまでお送りください。

©ERIKO TERANISHI 2024　Printed in Japan
ISBN978-4-8113-3173-7